Leseverstehen DTZ

Kopiervorlagen für Alphakurse

Gisela Darrah

Herstellung und Verlag:
BoD - Books on Demand, Norderstedt
ISBN 978-3-7357-7880-2

Inhaltsverzeichnis

<u>In welcher Abteilung finden Sie das Passende?</u>
<u>Kreuzen Sie an: A oder B</u>

....

1. Für den Urlaub möchte Frau Müller Sonnencreme kaufen.

A. Drogerie   B. Lebensmittel

....

2. Andrada macht einen Sprachkurs. Sie braucht Hefte und Stifte.

A. Damenmoden   B. Schreibwaren

....

3. Ihr Sohn spielt Tennis. Er braucht dazu passende Kleidung.

A. Herrenmoden   B. Sportkleidung

....

4. Ihre Schwester hat ein Baby bekommen. Sie suchen ein passendes Geschenk, vielleicht ein Jäckchen.

A. Babysachen   B. Kosmetik

....

Welches Portal müssen Sie anklicken? A oder B?

1. Sie suchen ein Memory-Spiel für ihre Tochter.

A. Spielwaren   B. Instrumente

....

2. Für ihren neuen Computer braucht Karin einen Monitor.

A. Sportgeräte   B. Computer

....

3. Herr Sahin sucht ein passendes Buch für den Deutschkurs.

A. Schreibwaren   B. Bücher

....

4. Frau Braun will ihr Wohnzimmer neu streichen. Sie möchte Farben und Pinsel kaufen.

A. Heimwerker   B. Möbel

....

5. Sie wollen am Computer für Ihren Deutschkurs lernen.

A. Lernsoftware   B. Bücher

....

6. Sie suchen ein Parfüm als Geschenk für Ihre Freundin.

A. Lebensmittel   B. Drogerie

....

7. Alina möchte ein Kinderbett für ihren Sohn kaufen.

A. Kindermöbel   B. Büromöbel

....

8. Walter sucht einen DVD-Film als Geschenk für seine Freundin.

A. Filme und Musik   B. Sportgeräte

Leseverstehen 1:   *Abteilungen im Kaufhaus, Internetportale*

Wo finde ich diese Artikel? Schreiben Sie zu jeder Abteilung zwei Artikel:

....

Sandalen   Mountainbike   Matratze   Lippenstift   Zelt

Damenfahrrad   Waschmaschine   Kopfkissen   Tennisschläger

Mixer   Fußball   Stiefel   Bleistift

Kugelschreiber   Handcreme   Campingtisch

....

1. Betten: ....

2. Elektrogeräte: ....

3. Sportartikel: ....

4. Schuhe: ....

5. Fahrräder: ....

6. Camping: ....

7. Kosmetik/Drogerie: ....

8. Schreibwaren: ....

Wo finde ich diese Artikel? Schreiben Sie zu jeder Abteilung zwei Artikel:

....

Tastatur   Laptop   Lätzchen   Roman   Anzüge

Kinderhosen   Fernseher   Lexikon   Babysafe

Kinderpullover   Damenröcke   DVD

Damenjeans   Krawatten

....

9. Bücher/Zeitschriften: ....

10. Damenkleidung: ....

11. Herrenkleidung: ....

12. Kinderkleidung: ....

13. Babysachen: ....

14. Video/ TV: ....

15. Computer: ....

Wo kann ich das machen? Welches Amt muss ich besuchen? Kreuzen Sie an:

1. Ich möchte mich an meinem neuen Wohnort anmelden.

A. Jobcenter   B. Meldeamt

....

2. Walter und Sabine möchten heiraten.

A. Ordnungsamt   B. Standesamt

....

3. Frau Cekic hat ihren Regenschirm verloren.

A. Fundbüro   B. Zulassungsstelle

....

4. Herr Müller hat ein Auto gekauft und möchte es anmelden.

A. Zulassungsstelle   B. Meldeamt

....

5. Ihre Tochter hat Probleme. Sie möchten sich über die Erziehung beraten lassen.

A. Arbeitsagentur   B. Jugendamt

....

6. Frau Kikumbu möchte ihren Aufenthalt in Deutschland verlängern lassen.

A. Ausländeramt   B. Standesamt

7. Frau Alili hat ein Baby bekommen. Herr Alili möchte das Kind anmelden.

A. Jugendamt   B. Einwohnermeldeamt

....

8. Familie Friedrich hat ein Au-pair-Mädchen aus Brasilien. Sie möchten es anmelden.

A. Einwohnermeldeamt u. Ausländeramt   B. Fundbüro

....

9. Herr Yildiz möchte an seinem Haus einen Anbau machen. Er braucht eine Baugenehmigung.

A. Bauamt   B. Bußgeldstelle

....

10. Ich kann meine Steuererklärung nicht pünktlich abgeben. Wo rufe ich an?

A. Standesamt   B. Finanzamt

....

11. Frau Groß möchte ein Geschäft aufmachen. Wo meldet sie sich an?

A. Gewerbeamt   B. Ordnungsamt

....

12. Herr Schmidt ist zu schnell gefahren. An welche Behörde bezahlt er den Strafzettel?

A. Jobcenter   B. Bußgeldstelle

Zu welchem Amt müssen Sie gehen? Schreiben Sie die Ausdrücke 1-10 in die passenden Zeilen:

Ich möchte

1. die Aufenthaltserlaubnis verlängern
2. einen Frisörsalon eröffnen
3. in eine andere Stadt umziehen
4. ein neugeborenes Baby anmelden
5. ein Auto abmelden
6. einen Geldbeutel abgeben, den ich gefunden habe
7. eine Kinderbetreuung für die Ferien finden
8. eine Steuererklärung abgeben
9. einen Pass beantragen
10. eine neue Arbeit finden

A. Gewerbeamt: …...

B. Zulassungsstelle: …..

C. Fundbüro: …..

D. Finanzamt: …..

E. Einwohnermeldeamt: …..

…..

F. Ausländeramt: …...

G. Jugendamt: …...

H. Arbeitsamt: …...

<u>Welches Wort bedeutet das Gleiche oder fast das Gleiche? Schreiben Sie die Sätze anders:</u>

....

(die Behörde)   eine Auskunft   die Staatsangehörigkeit

benötigen   die Berechtigung

....

1. *Maria hat morgen um 10 Uhr einen Termin.
Sie muss dann **das Amt** in Mainz besuchen.*

*Beispiel: Maria muss **die Behörde** in Mainz besuchen.*

2.   *Entschuldigung, ich hätte gern **eine Information**. Wo finde ich .....*

....

3. *Schreiben Sie bitte noch **die Nationatität** in dieses Formular.*

....

4. *Sie **brauchen** eine Kopie Ihrer Geburtsurkunde.*

....

5. *Sie haben **die Erlaubnis,** auf dem Anwohnerparkplatz zu parken.*

....

<u>Welche Situation passt zu welchem Kurs? Kreuzen Sie an: A oder B</u>

....

1. Sie essen gern Chinesisch. Sie möchten lernen, wie man chinesisches Essen kocht.

A. *Asiatisch kochen*   **B.** *Chinesisch für die Reise.*

....

2. Sie möchten gern im Sommer nach Paris reisen. Sie möchten etwas Französisch lernen.

A. *Französisch für die Reise*   **B.** *Französische Küche*

....

3. Sie möchten gern etwas Sport machen. Sie haben nur am Vormittag Zeit, wenn Ihre Kinder in der Schule sind.

A. *Gymnastik am Vormittag*   **B.** *Gymnastik 19 – 20 Uhr*

....

4. Sie möchten besser mit dem Computer arbeiten, besonders mit Word und Excel. Sie brauchen das für Ihren Job im Büro.

A. *Internet für Senioren*   **B.** *Word und Excel im Büro*

....

5. Sie möchten gern deutsche Kinderlieder lernen und sie mit Ihren Kindern singen.

A. Deutsche Kinderlieder singen   *B.* Vortrag: Das deutsche Lied.

....

6. Sie möchten Ihr Deutsch verbessern. Sie möchten besser sprechen, lesen und schreiben.

A. Deutsch als Fremdsprache   *B.* Leben in Deutschland
                                            Orientierungskurs

....

7. Sie möchten einen Ballsport machen. Sie haben am Abend Zeit.

A. Volleyball, 19 Uhr   *B.* Volleyball am Vormittag

....

8. Ihr Sohn möchte Gitarre spielen lernen.

A. Gitarrenunterricht für Erwachsene

B. Gitarrenunterricht für Kinder

....

9. Sie suchen Arbeit. Sie möchten lernen, wie man eine gute Bewerbung schreibt.

A. Das Bewerbungsgespräch
Mit Farb- und Typberatung

B. Bewerbertraining:
Lebenslauf und Anschreiben

....

10. Sie haben Diabetes und möchten lernen, wie man bei dieser Krankheit richtig kocht.

A. Gesund abnehmen.
Diät leicht gemacht.

B. Diätküche
Cholesterin, Diabetes, Magen

....

11. Sie möchten mit Ihrem Mann eine kurze Reise machen, gern in eine Stadt in Europa.

A. Wochenendreise nach Prag.

B. Reise durch Europa.(3 Wochen)

....

Leseverstehen 1   Kursangebote

Welcher Kurs passt zu welchem Thema? Schreiben Sie diese Kursnamen in die passenden Zeilen:

....

Nähen für Anfänger   *Büro-Organisation*   *Blumen malen*

Backen für den Kindergeburtstag   *Französisch für die Reise*

Yoga   *Türkisch für Fortgeschrittene*   *Diätküche*

Socken stricken   *Fußball*   *Bewerbertraining*

Russische Lieder singen

....

1. Sprachen: ....

....

2. Arbeit und Beruf: ....

....

3. Kochen und Backen: ....

....

4. Handarbeit: ....

....

5. Kunst und Musik: ....

Kleinanzeigen, Wohnungsanzeigen, Stellenanzeigen, Weiterbildung, Ausbildungsplätze, Sprachunterricht, Service

Lesen Sie diese Anzeigen. Welches Thema ist das?

1. Französisch für die Reise. Sie möchten in Frankreich Urlaub machen und die Sprache üben? Hier sind Sie richtig. Wir üben Alltagsdialoge und Wortschatz. Dienstags 17 – 18.30 Uhr

Thema: ....

2. Wir suchen eine Verkäuferin für Damen- und Herrenschuhe. Sie haben Erfahrung im Verkauf, Sie können gut mit Menschen umgehen und beraten freundlich und kompetent. Vollzeit oder Teilzeit, nach Vereinbarung. Unser Geschäft liegt in der Fußgängerzone Großheim.
Bewerbungen an Schuhhaus Müller, Großheim, Schillerstraße 34
Tel: 4235 9832

Thema: ....

3. Schreibtisch, 3 Jahre alt, wegen Umzug zu verkaufen. Guter Zustand, mit passendem Drehstuhl. 1,60m X 1,00m, 0.80m hoch. Hellbraun, Stuhl mit schwarzem Bezug. VHB 100 €
Tel: 0130292929

Thema: ....

4. Schöne Wohnung, 85 qm, in der Innenstadt, aber ruhig, zu vermieten. Altbau, Küche und Bad renoviert, von privat, ohne Provision.
Miete 550 €, Kaution 3 MM
Tel: 0134 893932

Thema: ....

5. Sie haben einen Realschulabschluss oder Abitur und Sie helfen gern anderen Menschen? Es sind noch Ausbildungsplätze als Krankenschwester frei. Krankenhaus St. Raffael, Musterstadt. Bitte senden Sie eine vollständige Bewerbung an: …..........................
Ihre Ansprechpartnerin ist Maria Best.

Thema: …...

6. Sie brauchen Hilfe bei Gartenarbeit, Renovierung oder Reparaturen? Rufen Sie uns an! Wir arbeiten schnell und gründlich, für 20 € pro Stunde. Die Heinzelmännchen. Tel. 07342828

Thema: …...

7. Sie haben Probleme bei der Arbeit mit Ihrem Computer? Wir bieten Computerkurse in verschiedenen Bereichen an: Grundkurs, Internet-Führerschein, Bildbearbeitung, Erstellen einer Website, Excel und Word. Verbessern Sie Ihre Chancen auf dem Arbeitsmarkt durch einen Kurs bei Compu-fit.
Fragen und Anmeldungen unter: compu-fit@web.de

Thema: …...

8. Schöner alter Schrank, Massivholz Buche, 2 m mal 1,80 m, an Selbstabholer abzugeben. Preis VHB, Mindestgebot 800 €. Termine unter 06359-243512.

Thema: …...

9. Bügelservice Marina. Wir holen Ihre Bügelwäsche bei Ihnen zu Hause ab und bringen sie wieder, perfekt gebügelt! Sie werden begeistert sein.
Rufen Sie an: 019094521.

Thema: …...

1. Ich arbeite in der Schule. *Ich bin eine Frau. Ich unterrichte Englisch und Mathematik.*
Ich bin eine ....

2. Ich arbeite in einer Werkstatt. *Ich bin ein Mann. Ich repariere Autos.*

Ich bin ein ....

3. Ich arbeite im Krankenhaus. *Ich bin ein Mann. Ich pflege kranke Menschen.*
Ich bin ein ....

4. Ich arbeite im Restaurant. *Ich bin ein Mann oder eine Frau. Ich serviere Essen und Getränke.*
Ich arbeite als ....

5. Ich arbeite im Büro. *Ich bin eine Frau. Ich schreibe die Briefe für den Chef. Ich telefoniere und spreche mit Kunden.*
Ich bin eine ....

6. Ich arbeite im Kindergarten. *Ich spiele und singe mit Kindern. Ich bin ein Mann.*
Ich bin ein ....

7. Ich arbeite auf der Baustelle. *Ich arbeite mit Baumaschinen und mit Schaufeln, Zementmischern und Steinen. Ich bin ein Mann.*
Ich bin ein ....

8. Ich arbeite auf dem Bauernhof. *Ich habe Obst und Gemüse, Hühner und Kühe. Ich bin ein Mann.*
Ich bin ein ....

9. Ich arbeite für meine Familie. *Ich koche, putze und wasche. Ich erziehe Kinder. Ich bin eine Frau.*

....

Welche Wörter bedeuten das Gleiche oder fast das Gleiche? Schreiben Sie die Sätze anders wie im Beispiel:

....

(in Vollzeit)   Kinderbetreuung   Teamarbeit   arbeiten

die Dienstleistung   Sie wissen viel über …   Teilzeitkraft

....

1. Frau Müller möchte **ganztags** arbeiten.

Frau Müller möchte **in Vollzeit** arbeiten.
....

2. Schülerin (16 Jahre) bietet **Babysitting** an.

....

3. **Der Service** ist für unsere Kunden kostenlos.

....

4. **Zusammenarbeit** mit den Kollegen ist bei uns selbstverständlich.

....

5. **Sie kennen sich aus mit** Computersoftware.

....

6. Studentin möchte als Bedienung **jobben.**

....

7. Wir stellen ein: eine **Aushilfe** 3 x pro Woche für 2 Stunden.

....

Welche Wörter bedeuten das Gleiche oder fast das Gleiche? Schreiben Sie die Sätze anders:

Unterricht und Ausbildung

....

Ausbildungsplatz   an der Universität   qualifiziert

eine Ausbildung   Lehrbuch   die Prüfung

....

1. Werner möchte **eine Lehre** als Automechaniker machen.

....

2. Suche **Lehrstelle** als Bäckereiverkäuferin.

....

3. Alle unsere Mitarbeiter sind gut **ausgebildet.**

....

4. Veronika hat **an der Hochschule** drei Jahre studiert.

....

5. Mit welchem **Lehrwerk** arbeiten Sie im Sprachkurs?

....

6. Ich habe **den Test** erfolgreich bestanden.

....

Finden Sie die Informationen in den Texten:

1. Sabine Kunzmann möchte wieder arbeiten. Ihre Kinder sind 10 und 12 Jahre alt und sie hat vormittags Zeit.
Früher hat sie als Krankenschwester gearbeitet, oft auch nachts und am Wochenende. Sie möchte aber jetzt abends, nachts und am Wochenende für ihre Familie da sein.

A. Beruf: ....

B. Wann möchte sie arbeiten? ....

2. Willi Wolf sucht eine neue Arbeit. Er ist Bäcker von Beruf. Leider hat er jetzt eine Mehlallergie. Er denkt, dass er vielleicht als Hausmeister oder Verkäufer arbeiten kann. Als Bäcker musste er sehr früh aufstehen, jetzt möchte er am Tag oder am Abend arbeiten.

A. Beruf: ....

B. Als was kann er jetzt arbeiten? ....

C. Wann möchte er arbeiten? ....

3. Sultan Özer möchte gern arbeiten und etwas Geld verdienen. Ihre Kinder sind 8, 11 und 15 Jahre alt und gehen zur Schule. Sie möchte gern im Haushalt helfen, also putzen oder bügeln. Am liebsten will sie vormittags arbeiten, wenn die Kinder in der Schule sind.

A. Wo möchte sie arbeiten? ....

B. Wann möchte sie arbeiten? ....

4. Mustafa Ünlü sucht eine Arbeitsstelle. Er hat früher in einem Dönerladen gearbeitet. Der Laden hat geschlossen und er war 2 Jahre arbeitslos. Er möchte in einem Dönerladen, Imbiss oder Restaurant als Küchenhilfe arbeiten. Mit der Arbeitszeit ist er flexibel.

A. Arbeitserfahrung: ....

B. Wo möchte er arbeiten? ....

C. Wann möchte er arbeiten?..

5. Gudrun Klein sucht eine Teilzeitstelle. Sie ist 66 Jahre alt, sie hat aber nur wenig Rente. Sie möchte gern in einem Büro, Call Center oder an einer Kasse arbeiten. Sie war früher Sekretärin in einer großen Firma. Sie kann vormittags oder nachmittags arbeiten, nur abends möchte sie nicht arbeiten.

A. Beruf: ....

B. Wo möchte sie arbeiten? ....

C. Wann möchte sie arbeiten?..

6. Katrin Schmidt ist Schülerin in der 12. Klasse im Gymnasium. Sie möchte gern etwas Taschengeld verdienen. Sie ist sehr gut in Mathematik und will jüngeren Schülern Nachhilfeunterricht geben. Sie hat erst ab 17 Uhr Zeit.

A. Was möchte sie arbeiten?..

B. Wann möchte sie arbeiten?...

Passen die Arbeitsstellen zu den Personen? Kreuzen Sie an: ja oder nein.

1. Agneta aus Polen, 37, sucht Arbeit. Erfahrung in der Pflege von alten Menschen. Auch Hausarbeit erledige ich gern. Zeitlich flexibel

Pflegeperson gesucht. Für eine ältere Frau suchen wir eine Pflegerin täglich von 8 – 12 Uhr. Aufgaben: Waschen, anziehen, Frühstück zubereiten, die Wohnung aufräumen oder putzen, einkaufen, das Mittagessen kochen und bei der Mahlzeit helfen.
Bewerbungen an: Frieda Müller, 1234-5678

O ja   **O nein**

2. Handwerklich geschickter Mann sucht Arbeit. Gerne Hausmeisterdienste, aber nicht am Wochenende.

Wir suchen einen zuverlässigen Hausmeister für eine große Wohnanlage. Zu den Aufgaben zählen: Gartenarbeit, Müllentsorgung, Treppenhausreinigung und kleine Reparaturen.
Sie arbeiten täglich von 7 bis 15 Uhr, ab und zu auch abends und am Wochenende.

O ja   **O nein**

3. Suche Vollzeitjob, Erfahrung in allen Hausarbeiten, Kochen oder Bügeln kein Problem.

Bügelhilfe gesucht. Einmal pro Woche ca. 2 Stunden in Privathaushalt. Interessiert? Rufen Sie an: 777 888

O ja   **O nein**

4. Suche Nebenjob als Bedienung. Habe 10 Jahre Erfahrung in Gastronomie.

Für unser Restaurant suchen wir einen erfahrenen Kellner, mindestens 5 Jahre Berufserfahrung. Unsere Gäste sind an sehr gute Bedienung gewöhnt. Teilzeit

O ja   **O nein**

Welche Stellenanzeige passt zu welcher Person?

....

1. Samira Al Masri möchte gern teilzeitlich arbeiten. Sie ist Erzieherin von Beruf. Früher hat sie acht Jahre in einem Kindergarten gearbeitet. Sie hat zwei Kinder, 7 und 9 Jahre alt. Deshalb kann sie nur vormittags arbeiten.

....

2. Karin Schmidt ist Erzieherin von Beruf, sie hat früher 10 Jahre in einem Kindergarten gearbeitet. Sie sucht eine Vollzeitstelle. Sie möchte gern wieder arbeiten, weil ihr Mann arbeitslos ist. Sie hat zwei Kinder, 14 und 17 Jahre alt.

....

A. Wir suchen für unser Team eine Erzieherin, vormittags zwischen 9 und 12 Uhr. Sie sollte eine abgeschlossene Berufsausbildung und mindestens 5 Jahre Erfahrung haben. Wir freuen uns auf Ihre Bewerbung. Das Team vom Kindergarten Kunterbunt.

....

B. Wir brauchen Sie! Sie sind Erzieherin und möchten unser Team verstärken.
Sie haben viel Erfahrung und suchen eine Vollzeitstelle von 8.30 bis 16.30 Uhr. Rufen Sie uns an! Kindergarten Biene Maja

....

Was passt? Kreuzen Sie an:

Person 1: A – B   Person 2: A - B

Welche Stellenanzeige passt zu welcher Person?

....

1. Ali Cengiz hat früher als Busfahrer gearbeitet. Er ist 52 Jahre alt und sucht einen Vollzeitjob. Er möchte aber nicht so weit fahren. Am Wochenende möchte er Zeit für die Familie haben.

....

2. Kai Hochstetter. 35 Jahre, möchte gern als Busfahrer arbeiten. Er sucht eine Vollzeitstelle. Er ist ledig und es ist kein Problem für ihn, auch mal im Hotel zu übernachten.

....

A. Busfahrer gesucht. Jeden Tag von 8 bis 16 Uhr in der näheren Umgebung.
Sie fahren auf regelmäßigen Linien und sind abends wieder zu Hause. Pünktlichkeit ist ein absolutes Muss.

....

B. Freizeit-Tours. Wir suchen einen Busfahrer für Kurzreisen in Europa. Sie sind jung und reiselustig und machen Touren von 3 – 7 Tagen. Vollzeitjob

....

Was passt? Kreuzen Sie an:

Person 1: A – B   Person 2: A – B

Welche Stellenanzeige passt zu welcher Person?

....

1. Alisia Rana, 48 Jahre alt, hat drei große Kinder zwischen 15 und 23 Jahren. Sie möchte gern wieder in ihrem Beruf als Verkäuferin arbeiten.
Vor ihrer Ehe war sie in einem großen Kaufhaus angestellt.

....

2. Olaf Frederik ist Verkäufer von Beruf. Er liebt Autos und verkauft am liebsten Autos. Früher hat er bei Opel gearbeitet. Leider wurde die Filiale geschlossen. Jetzt möchte er wieder bei einem Autohändler arbeiten.

....

A. Autohaus Schmidt. Wir suchen einen erfahrenen Autoverkäufer in Vollzeit.
Bewerbungen bitte an die Personalabteilung.

....

B. Kaufhaus Schmidt. Wir suchen eine zuverlässige Verkäuferin für Damenmoden. Vollzeitjob.

....

Was passt? Kreuzen Sie an:

Person 1: A – B   Person 2: A – B

Welche Stellenanzeige passt zu welcher Person?

....

1. Peter Schmidt ist Krankenpfleger. Zur Zeit arbeitet er in einem Krankenhaus. Er sucht eine Arbeitsstelle ohne Schichtarbeit, weil er von der Schicht Schlafstörungen bekommt.

....

2. Walter Ulrich ist Krankenpfleger von Beruf. Er hat früher in einem Krankenhaus gearbeitet. Er ist in eine andere Stadt gezogen und sucht wieder Arbeit.

....

A. Mobiler Hilfsdienst Maria. Wir suchen ausgebildete Krankenpfleger für die häusliche Pflege in Vollzeit von 7 bis 15 Uhr. Führerschein erforderlich.

....

B. Stadtkrankenhaus Neustadt. Wir suchen ausgebildete Krankenpfleger in Schichtarbeit. Nachtschicht und Tagschicht im Wechsel. Bezahlung nach Tarif. Bewerbungen an die Personalabteilung.

....

Was passt? Kreuzen Sie an:

Person 1: A – B   Person 2: A – B

<u>Welche Anzeige passt zu dieser Situation? Kreuzen Sie an: A oder B.</u>

....

1. **Sie haben keine Zeit, Ihre Wäsche selbst zu bügeln. Sie suchen Hilfe und möchten die Wäsche bügeln lassen.**

   A. Aushilfe für Bügelservice gesucht. Möglichst mit Erfahrung. 450 € Basis. Rufen Sie uns an. Tel. 0174883055

   B. Bügelservice Marina. Wir holen Ihre Bügelwäsche bei Ihnen zu Hause ab und bringen sie wieder, perfekt gebügelt! Sie werden begeistert sein.
   Rufen Sie an: 019094521

....

2. **Sie wollen im Sommer nach Frankreich reisen. Sie möchten gern etwas Französisch lernen und im Urlaub im Restaurant etwas bestellen oder im Supermarkt einkaufen.**

....

A. Französisch für die Reise. Sie möchten in Frankreich Urlaub machen und die Sprache üben? Hier sind Sie richtig. Wir üben Alltagsdialoge und Wortschatz. Dienstags 17 – 18.30 Uhr

....

B. Französische Küche. Gourmetkoch aus Frankreich zeigt Ihnen, wie man ein perfektes französisches Menü zaubern kann. Überraschen Sie Ihre Familie. Freitags 10.30 – 12 Uhr

....

3. Ihre Tochter sucht einen Ausbildungsplatz als Friseurin. Sie möchte im September mit der Ausbildung beginnen.

....

A. Frisörsalon in der Innenstadt sucht zwei Auszubildende, Beginn im Herbst. Schriftliche Bewerbungen bitte an: Monika Beck, Hauptstraße 14, Grünstadt

....

B. Wir suchen eine Friseurin in Vollzeit, abgeschlossene Ausbildung, ab September. Bewerbungen an: ….....

....

4. Sie sind Hausfrau und möchten etwas Geld verdienen. Vielleicht in einem Laden oder als Putzhilfe. Sie können nur Abends einige Stunden arbeiten.

....

A. In unserer Putzkolonne ist eine Stelle frei! Täglich morgens ab 6 Uhr zwei Stunden. Bewerbungen an ….

....

B. Die Grundschule sucht eine Reinigungskraft. Jeden Abend ca. 2,5 Stunden. Rufen Sie uns an.

....

Welche Anzeige passt zu dieser Situation? Kreuzen Sie an: A oder B.

....

5. Ihr Sohn hat schlechte Noten in Mathematik. Er geht in die 7. Klasse Realschule und braucht Hilfe beim Lernen. Sie haben nicht so viel Geld.

....

A. Hausaufgabenbetreuung. Wir bieten schwachen Schülern der Realschule Hilfe bei den Hausaufgaben an. Sie können bis 16 Uhr in der Schule bleiben und werden von Lehrkräften und älteren Schülern betreut. Sie bezahlen nur für das Mittagessen.

....

B. Erfahrener Mathematiklehrer erteilt Nachhilfeunterricht. Es gibt nichts, was man nicht lernen könnte! Auch schwache Schüler verstehen die Mathematik, wenn man es richtig erklärt. 20 € / Stunde

....

6. Sie möchten am Samstag Abend ausgehen und suchen einen Babysitter. Die Person soll Erfahrung mit Kindern haben.

....

A. Marie, 16, sucht einen Nebenjob. Ich kann putzen, kochen oder auf Kinder aufpassen. Ich möchte gern auf regelmäßiger Basis, 2 -3 mal pro Woche arbeiten. Nicht am Wochenende.

....

B. Sebastian, 15, möchte als Babysitter arbeiten. Ich habe viel Erfahrung, denn ich habe drei kleinere Geschwister. Gerne auch am Wochenende.

....

Welche Wörter bedeuten das Gleiche oder fast das Gleiche? Verbinden Sie und schreiben Sie die Sätze wie im Beispiel:

....

Verhandlungsbasis   Sofa   Fernseher

Wohnungswechsel   (Entrümpelung)   günstig

Koffer und Taschen   Handy   fast neu   defekt

Gebrauchsanweisung

....

1. Wir verkaufen alles: Möbel, Elektrogeräte, Geschirr ….
Haushaltsauflösung. Alles muss raus.

Entrümpelung. Alles muss raus.

2. Schreibtisch, neuwertig und **preiswert**, nur 50 €.

....

3. Verkaufe **Mobiltelefon**, in gutem Zustand, Sony.

....

4. Fernseher, neu, mit **Bedienungsanleitung**, zu verkaufen.

....

5. Verkaufe **Gepäck** aus Leder, hochwertig, wie neu.

....

6. Schlafzimmer, komplett, helle Eiche, wegen **Umzug** zu verk.

....

7. Damenhandtasche, **kaum gebraucht,** schwarzes Leder.

....

8. Stereoanlage, **kaputt,** an Bastler zu verschenken.

....

9. Küche, 5 Jahre alt, Preis **VHB.**

....

10.   Sofagarnitur, Sessel und **TV**, günstig abzugeben.

....

11.   **Couch**, 2 Jahre alt, wie neu, blau, wegen Umzug zu verkaufen.

....

Welche Kleinanzeige oder Wohnungsanzeige passt zu welcher Situation? Kreuzen Sie an: A oder B.

....

1. Peter Schmidt sucht eine Wohnung in Mannheim. Er möchte zum 1. Oktober einziehen. Er ist ledig und lebt allein. Die Wohnung sollte ca. 60 – 80 qm groß sein

A. Schöne helle Parterrewohnung, 4 Zimmer, zum 1. 10. frei. 120 qm, 2 MM Kaution, 800 € + Nebenkosten. Tel. 0136939

B. Wohnung mit Balkon, keine Haustiere, 2 Zimmer, 70 qm. 3. Stock, wird Ende Sept. frei. 550 € + Nebenkosten, von privat.

....

2. Familie Kilic sucht ein Haus zur Miete. Die Familie hat 3 Kinder und möchte gern einen Hof oder Garten, damit die Kinder spielen können. Das Haus sollte nicht mehr als 600 € Miete kosten.

A. Von privat zu verkaufen: Sehr schönes Einfamilienhaus mit Garten, ideal für Familien mit Kindern. Baujahr 1990, Preis VHB

B. Kleines Haus im Grünen, außerhalb der Stadt gelegen. 4 Zimmer, 120 qm, 550 € Miete + Nebenkosten, 2 MM Kaution

....

....

3. Marina ist Studentin und sucht einen günstigen Schreibtisch, am liebsten Holz. Sie kann nicht mehr als 60 € bezahlen.

A. Schöner, großer Schreibtisch zu verkaufen, wegen Umzug günstig abzugeben, 50 €. Tel. …

B. Suche günstigen Schreibtisch in Kiefernholz, kann bis 60 € bezahlen.

....

4. Herr Schulz möchte für seinen Sohn ein gebrauchtes Mofa möglichst günstig kaufen. Sein Sohn soll damit zur Schule fahren, die 15 Kilometer entfernt liegt.

A. Biete günstiges gebrauchtes Fahrrad, Top-Zustand. Preis VHB.

B. Angebot: gebrauchte Motorräder und Mofas. Automarkt Müller, Bahnhofstraße 17, kommen Sie am Samstag vorbei!

....

5. Vera zieht zum ersten Mal in eine eigene Wohnung. Sie braucht viele Sachen für den Haushalt wie Geschirr, Dekoration und Handtücher. Diese möchte sie günstig kaufen.

....

A. Haushaltsauflösung. Am Samstag und Sonntag verkaufen Haushaltsgegenstände. Alles muss raus. Alles billig!
Uhlandstraße 34, von 10 – 18 Uhr

B. Entrümpelungsservice. Wir kommen und nehmen alles mit, was Sie nicht mehr gebrauchen können. Wir entsorgen kostenlos ihre alten Sachen. Tel. ….

....

6. Walter Schmitt sucht eine kleine Wohnung in der Stadt. Er hat oft Besuch und kocht viel. Er braucht neben Wohn- und Schlafzimmer auch ein Gästezimmer. Das Bad und die Küche sollen nicht zu klein sein.

....

A. Kleines, schickes Einzimmerapartment, ideal für Singles. Kochnische integriert, Schlaf- und Wohnbereich. Großer Balkon mit Aussicht über die Stadt. Kaution 2 MM. Tel. 1234

....

B. Kleine Wohnung, zentral gelegen. Wohnküche, großes Tageslichtbad, drei Zimmer.
Interessenten bitte Herrn Fritz anrufen, Tel. 5678

Leseverstehen 3: Meldungen, Mitteilungen

Welche Textsorte ist das?

....

Zeitungsmeldung, Mitteilung für Mieter, Elternbrief

....

1. Liebe Eltern der Grundschule Großheim,
auch in diesem Jahr haben wir uns wieder etwas Besonderes ausgedacht,
um die Kinder für Umwelt und Natur zu begeistern. Es ist ein Besuch beim
Förster. Dort können sie vieles über die Arbeit im Wald, über Pflanzen und
Tiere erfahren.
Jede Klasse besucht den Förster an einem anderen Tag im Juni. (Siehe
Zeitplan im Anhang) Die Schüler und Schülerinnen sollen feste Schuhe,
lange Hosen (Zeckengefahr) anhaben und Regenschutz mitbringen. Wir
gehen auch bei leichtem Regen, da die Termine schon festgesetzt sind. Nur
bei Gewitter und schwerem Regen wird der Termin verschoben.
Bitte geben Sie Ihrem Kind einen Imbiss mit.
Wir hoffen auf schönes Wetter.
Herzliche Grüße
Irene Kasper (Direktorin)

Textsorte: ....

2. Aus alt mach neu
Seit einem Jahr gibt es in Bad Blauenheim ein Reparatur-Café. Es findet
im Mehrgenerationenhaus jeden Dienstag von 15 – 18 Uhr statt.
Bei gemütlicher Atmosphäre, bei Kaffee und Kuchen, zeigen Ihnen
Fachleute, wie man kleinere Reparaturen selbst vornehmen kann.
Eine Schneiderin erklärt, wie Sie Kleidung wieder in Stand setzen können.
Ein Elektriker zeigt Ihnen, wie Sie Lampen, Radios und andere
Kleingeräte reparieren können. Geplant ist noch die Reparatur von
Fahrrädern und Spielwaren. Kommen Sie vorbei und bringen Sie etwas
mit, das nicht mehr funktioniert. Wegwerfen kann jeder! Wir können
reparieren.
Textsorte: ....

Welche Textsorte ist das?

3. Liebe Hausbewohner der Bahnhofstraße 11,
die Hausverwaltung möchte Sie nochmals auf das Problem „Möbelstücke im Kellerflur" ansprechen.
Es ist verboten, Schränke, Regale usw. in den Fluren im Keller abzustellen. Erstens kann dann die Reinigungskraft nicht richtig sauber machen, zweitens sieht das unordentlich aus und drittens werden dadurch die Wege blockiert. In einem Notfall, wie z. B. Feuer oder Überschwemmung, werden die Mitbewohner daran gehindert, Sachen aus ihren Kellern schnell in Sicherheit zu bringen.
Daher teilen wir Ihnen mit: Alle Möbelstücke, die nicht bis zum 12. 05. entfernt worden sind, werden dann vom Hausmeister zum Sperrmüll gegeben.
Mit freundlichen Grüßen
Ihre Hausverwaltung

Textsorte: …………………………………………………………………………

4.   5 Jahre Sozialkaufhaus
Unser Sozialkaufhaus in Neustadt hat Geburtstag, es wird 5 Jahre alt. In der Industriestraße 36 können Sie gut erhaltene Möbel, Haushaltsartikel, Kleidung oder Spielzeug abgeben oder kaufen.

Spenden oder kaufen darf jeder, besonders aber Menschen mit wenig Geld. Auch das Sozialamt organisiert über das Sozialkaufhaus Einrichtung für bedürftige Familien oder Asylbewerber.

Wir suchen noch ehrenamtliche Helfer zur Mitarbeit im Laden.
Wenn Sie helfen können, rufen Sie uns bitte an. Tel. 67343-3456

Das Kaufhaus ist täglich Mo – Sa von 10 – 18 Uhr geöffnet.
Größere Möbel können bei Bedarf auch abgeholt werden.

Textsorte: …………………………………………………………………………

....

Liebe Eltern des Kindergartens Großheim,

auch in diesem Jahr haben wir uns wieder etwas Besonderes ausgedacht, um die Kinder für Umwelt und Natur zu begeistern. Es ist ein Besuch beim Förster. Dort können sie vieles über die Arbeit im Wald, über Pflanzen und Tiere erfahren.

Die Kinder sollen feste Schuhe, lange Hosen (Zeckengefahr) anhaben und Regenschutz mitbringen. Wir gehen auch bei leichtem Regen, da die Termine schon festgesetzt sind. Nur bei Gewitter und schwerem Regen wird der Termin verschoben.

Bitte geben Sie Ihrem Kind einen Imbiss mit.
Wir hoffen auf schönes Wetter.

Herzliche Grüße
Irene Kasper (Kindergartenleitung)

....

1. Beim Förster erfahren die Kinder viel über Tiere und Pflanzen.

   richtig ....   **falsch** ....

2. Der Besuch beim Förster

   A. ist auch für Eltern.

   B. kostet 20 €.

   C. findet auch bei leichtem Regen statt.

…..

Liebe Eltern der Grundschule Walddorf,

das Ende des Schuljahrs ist nah und wir möchten eine kleine Feier zur Verabschiedung von Frau Wilma Klein veranstalten. Wir möchten am Freitag, dem 05. 07. im Hof der Grundschule grillen. Frau Klein hat 32 Jahre an unserer Schule als Lehrerin gearbeitet. Nun tritt sie in den wohlverdienten Ruhestand.

Bitte geben Sie Ihrem Kind einen Zettel mit, ob Sie einen Salat oder einen Kuchen mitbringen. So können wir alles besser koordinieren.
Wir freuen uns auf ein schönes Abschiedsfest.

Mit herzlichen Grüßen

Gudrun Schanz (Schulleitung)

…..

1. Die Schule veranstaltet am Freitag, dem 05.07. ein Kinderfest.

   richtig …...............　　　　　　**falsch** …...................

2. Frau Klein hat

   A. 32 Jahre an der Schule gearbeitet.

   B. eine andere Stelle gefunden.

   C. neu an der Schule angefangen.

....

Liebe Eltern der Klasse 3a,

die Klasse macht am Mittwoch, dem 04. 06. einen Ausflug zum Tierpark. Bitte geben Sie ihrem Kind Regenschutz mit, falls das Wetter nicht sonnig bleibt.

Wir suchen noch einige Mütter oder Väter, die mithelfen möchten und die Klasse begleiten. Bitte rufen Sie an, wenn Sie mitgehen können.

Der Eintritt in den Tierpark beträgt pro Kind 3,50 €. Falls Ihr Kind Tierfutter kaufen möchte, müssten Sie ihm dafür auch Geld mitgeben. Außerdem braucht Ihr Kind etwas zu essen und zu trinken.

Mit herzlichen Grüßen
Lena Kraus (Klassenlehrerin)

....

1. Die Klasse 3a macht einen Ausflug in den Wald.

   richtig ....   **falsch** ....

2. Einige Mütter oder Väter sollen

   A. beim Ausflug mithelfen.

   B. grillen.

   C. für alle bezahlen.

……………………………………………………………………………………………

Liebe Eltern der Klasse 9b, Realschule Güntershausen,

als Klassenlehrer möchte ich Sie herzlich zum ersten Elternabend des Schuljahres einladen.

Die Themen des Abends werden sein: Wahl des Elternsprechers, der Lehrplan der 9. Klasse, einige Probleme mit Handys, Fragen der Eltern. Im Anschluss an den allgemeinen Teil des Elternabends gehen einige noch in den „Löwen" etwas trinken.

Ich hoffe auf zahlreiches Erscheinen.

Herzliche Grüße
Peter Plan (Klassenlehrer)

……………………………………………………………………………………………

1. Der Klassenlehrer Herr Plan möchte mit den Eltern auch über Handys sprechen.

   richtig …………….   **falsch** …………….

2. Ein Thema des Elternabends ist

   A. die Noten der Schüler.

   B. die Wahl des Elternsprechers.

   C. die Klassenfahrt.

....

Liebe Hausbewohner der Bahnhofstraße 11,

die Hausverwaltung möchte Sie nochmals auf das Problem „Möbelstücke im Kellerflur" ansprechen.

Es ist verboten, Schränke, Regale usw. in den Fluren im Keller abzustellen. Erstens kann dann die Reinigungskraft nicht richtig sauber machen, zweitens sieht das unordentlich aus und drittens werden dadurch die Wege blockiert. In einem Notfall, wie z. B. Feuer oder Überschwemmung, werden die Mitbewohner daran gehindert, Sachen aus ihren Kellern schnell in Sicherheit zu bringen.

Alle Möbelstücke, die nicht bis zum 12. 05. entfernt worden sind, werden dann vom Hausmeister zum Sperrmüll gegeben.

Mit freundlichen Grüßen
Ihre Hausverwaltung

....

1. Man darf im Flur des Kellers alte Möbel abstellen.

   richtig ....   **falsch** ....

2. Am 12. 05. werden die Möbel, die dann im Kellerflur stehen

   A. verkauft.

   B. zum Sperrmüll gegeben.

   C. sauber gemacht.

…..

Sehr geehrte Bewohner der Goethestraße 22,

wir möchten Ihnen mitteilen, dass die Firma ABC am Dienstag, dem 28. 10. in allen Wohnungen die Wasser- und Stromzähler abliest und die Rauchmelder kontrolliert.

Jeder Mieter bekommt eine Uhrzeit zugewiesen. (Siehe Plan im Anhang) Wenn Sie zu dieser Zeit nicht zu Hause sein können, lassen Sie bitte Ihre Schlüssel bei einem Nachbarn und benachrichtigen Sie uns.

Es gibt auch die Möglichkeit, einen neuen Einzeltermin mit uns zu vereinbaren, das ist allerdings kostenpflichtig.

Mit freundlichen Grüßen
Ihre Hausverwaltung

…..

1. Das Ablesen der Zähler ist für alle Hausbewohner kostenpflichtig.

   richtig ….............   **falsch** ….............

2. Der Mieter kann

   A. den Schlüssel bei einem Nachbarn lassen.

   B. die Zähler selbst ablesen.

   C. einen kostenlosen Einzeltermin bekommen.

………………………………………………………………………

Aus alt mach neu!

Seit einem Jahr gibt es in Bad Blauenheim ein Reparatur-Café. Es findet im Mehrgenerationenhaus jeden Dienstag von 15 – 18 Uhr statt.

Bei gemütlicher Atmosphäre, bei Kaffee und Kuchen, zeigen Ihnen Fachleute, wie man kleinere Reparaturen selbst vornehmen kann.

Eine Schneiderin erklärt, wie Sie Kleidung wieder in Stand setzen können. Ein Elektriker zeigt Ihnen, wie Sie Lampen, Radios und andere Kleingeräte reparieren können.

Geplant ist noch die Reparatur von Fahrrädern und Spielwaren. Kommen Sie vorbei und bringen Sie etwas mit, das nicht mehr funktioniert.

Wegwerfen kann jeder! Wir können reparieren.

………………………………………………………………………

1. Im Reparatur-Café kann man lernen, kleine Reparaturen selbst zu machen.

richtig ………   **falsch** ………

2. Die Reparaturen sind

A. sehr teuer.

B. Kostenlos.

C. jeden Tag möglich.

....

Neue Standorte für Müllcontainer

Es gibt in der Stadtmitte auf dem Schillerplatz neue Container für Elektroschrott. Hier können Sie kleinere Elektrogeräte, Kabel und ähnliches einwerfen.

Die Einwurf-Öffnung des Containers ist ca. 20 x 60 cm groß.

Was darf hinein?
Digitalkameras, MP3-Player, Telefone, Handys, Rasierer, Tastaturen, Toaster, Kabel, …

Was darf nicht hinein?
Leuchtstoffröhren, Energiesparlampen, Flachbildschirme, Kleinbatterien.

....

1. Die neuen Container sind für kleine Haushaltsartikel wie Töpfe, Geschirr und Besteck geeignet.

   richtig .... **falsch** ....

2. Das darf nicht in den Elektroschrott gegeben werden:

   A Rasierer

   B Telefone

   C Kleinbatterien

....

5 Jahre Sozialkaufhaus

Unser Sozialkaufhaus in Neustadt hat Geburtstag, es wird 5 Jahre alt. In der Industriestraße 36 können Sie gut erhaltene Möbel, Haushaltsartikel, Kleidung oder Spielzeug abgeben oder kaufen.

Spenden oder kaufen darf jeder, besonders aber Menschen mit wenig Geld. Auch das Sozialamt organisiert über das Sozialkaufhaus Einrichtung füür bedürftige Familien oder Asylbewerber.

Wir suchen noch ehrenamtliche Helfer zur Mitarbeit im Laden. Wenn Sie helfen können, rufen Sie uns bitte an. Tel. 67343-3456

Das Kaufhaus ist täglich Mo – Sa von 10 – 18 Uhr geöffnet. Größere Möbel können bei Bedarf auch abgeholt werden.

....

1. Im Sozialkaufhaus kann jeder einkaufen.

     richtig ....   **falsch** ....

2. Das Sozialkaufhaus

A. verkauft auch Lebensmittel

B. ist von Montag bis Samstag geöffnet

C. stellt Verkäuferinnen ein

....

Eltern engagieren sich für den Waldspielplatz

Der schöne Waldspielplatz am Ortsrand ist wieder vollkommen intakt.

Nachdem letzten Monat Wildschweine den Platz verwüstet hatten, Spielgeräte zerbrochen waren und der ganze Grund aufgewühlt war, schloss sich eine tatkräftige Elterngruppe zusammen. Sie trafen sich jeden Samstag, um gemeinsam alles zu reparieren und zu verschönern. Dann bauten sie einen stabilen Zaun um das ganze Gelände.

Nun ist der Spielplatz wieder bereit für unsere Kinder, zum Toben und Entdecken.

Vielen Dank an die engagierten Eltern. Sie haben unentgeltlich schnelle Hilfe geleistet.

....

1. Der Waldspielplatz wurde von einer Handwerksfirma repariert.

   richtig ....   **falsch** ....

2. Der Waldspielplatz

A. liegt am Ortsrand

B. liegt mitten im Dorf

C. ist ein Gehege für Wildschweine

....

Schulabschluss – und dann?

Für die diesjährigen Schulabgänger der Realschule und für alle Interessierten fand am 12. Juli in der Stadthalle Musterstadt zum ersten Mal eine Berufsmesse statt.

Hier konnten sich Schüler und Schülerinnen über viele Berufe informieren. Handwerksbetriebe, Firmen, Geschäfte, Hotels, Banken und die Bundeswehr stellten sich vor. Fragen konnten direkt beantwortet werden. Wir haben mit einigen Besuchern gesprochen.

Sabrina B. (16): Wir fanden den Tag toll.
Ich möchte eine Ausbildung im Hotelfach machen.

Sven M. (16): Die Bundeswehr hat mich sehr beeindruckt. Da möchte ich mich noch weiter informieren.

....

1. Bei der Berufsmesse stellten sich viele Geschäfte und Betriebe vor.

   richtig ....   **falsch** ....

2. Die Schüler

   A. fanden den Tag toll.

   B. konnten sich nur über wenige Betriebe informieren.

   C. konnten sofort Arbeitsplätze finden.

………..

Unser Dorf spart Strom

Die Bürgermeister des Landkreises organisieren gemeinsam eine Aktion zum Energiesparen.

Eine Ausstellung und Vortragsabende mit praktischen Tipps bei den Stadtwerken der Kreisstadt gehören dazu.
Schon mit einfachen Maßnahmen kann man viel Strom und damit viel Geld sparen. Man tut dem eigenen Geldbeutel und der Umwelt etwas Gutes.

Themen der Vorträge:
27. 10.   Sparsam und effektiv beleuchten
30. 10.   Solarzellen – Die Sonne bezahlt die Stromrechnung.
05. 11.   Haushaltsgeräte richtig auswählen

………..

1. Bei der Aktion erfahren Sie die neuen Strompreise.

   richtig …................   **falsch** ….................

2. Wenn Sie Strom sparen,

   A. bekommen Sie von der Gemeinde Geld zurück.

   B. tun Sie dem Geldbeutel und der Umwelt etwas Gutes.

   C. müssen Sie einen Vortrag halten.

....

Stadtbücherei macht Ferien

Unsere Stadtbücherei ist in den Schulferien bis zum 23. 08. wie gewohnt für Sie da. Ab 24. 08. machen wir 2 Wochen Ferien.

Sie können also keine Bücher ausleihen oder zurückgeben. Die Ausleihzeit verlängert sich aber automatisch um 2 Wochen. Ab 06. 09. haben wir wieder geöffnet.

Am 08. 09. beginnt unsere Ausstellung „Neue Kinderbücher". Passend dazu liest Frau Irene Schott jeden Mittwoch im September von 15.30 Uhr bis ca. 16.30 Uhr aus neu erschienenen Kinderbüchern ab 7 Jahre.

....

1. Sie können die Stadtbücherei am 25. 08. nicht besuchen.

   richtig ....   **falsch** ....

2. Jeden Mittwoch im September liest Frau Schott

   A. aus zweisprachigen Kinderbüchern vor.

   B. Krimis für Erwachsene vor.

   C. aus neu erschienenen Kinderbüchern vor.

………………………………………………………………………………

Turnhallenstraße gesperrt

Wegen Bauarbeiten können Sie von Montag, 17. 08. bis einschließlich Freitag, 21. 08. nicht durch die Turnhallenstraße fahren.

Wir bitten die Anwohner, ihre PKWs schon ab Sonntag Abend außerhalb der Straße zu parken, da die Bauarbeiten schon um 6 Uhr morgens beginnen.

Grund für die Arbeiten sind Probleme mit den Wasserleitungen, die dann hoffentlich behoben werden können. Wir empfehlen, der ausgeschilderten Umleitung über die Gartenstraße zu folgen.

………………………………………………………………………………

1. Die Bewohner der Turnhallenstraße können am 22. 08. ganz normal an ihren Häusern parken.

   richtig …………….   **falsch** …………….

2. Die Turnhallenstraße ist gesperrt

   A. wegen Stau.

   B. wegen Bauarbeiten.

   C. wegen Hochwasser.

…..

Sparkasse Waldstadt

Auch Kinder können schon lernen, mit Geld umzugehen und zu sparen.

Für Kinder ab 6 Jahre:
Schüler-Taschengeld-Konto
0,5 % Guthabenzins
Bei Eröffnung des Kontos bekommt man
 20 € Startguthaben und eine Spardose

Für ältere Kinder: Sparen für den Führerschein oder das erste Auto.
Classic Young Konto
0,5 % Sparzinsen plus 1, 25 % jährlicher Bonus auf Guthaben
Dazu kommen noch Bausparvorteile.

…..

1. Kinder ab 8 Jahren können ein Taschengeldkonto eröffnen.

   richtig …...............   **falsch** …..................

2. Das Konto für ältere Kinder heißt Classic Young.

   richtig …...............   **falsch** …..................

3. Wenn man ein Schüler-Taschengeld-Konto eröffnet, bekommt man 20 €.

   richtig …...................   **falsch** …..................

···

Führung durch die historische Altstadt Altheim

Öffentliche Stadtführung
Dauer: ca. 1 Stunde
Treffpunkt: 11 Uhr am historischen Rathaus
Hauptstraße 2
Der Führer erklärt die historischen Bauten und erzählt aus der
Geschichte unserer schönen Stadt.
Die Führung kostet 4 € pro Person, Kinder 2 €.

···

1. Die Führung durch die historische Altstadt dauert ca. eine Stunde.

   richtig ················   **falsch** ···············

2. Der Führer spricht über die aktuelle politische Situation der
   Gemeinde.

   richtig ················   **falsch** ················

3. Die Teilnehmer treffen sich am historischen Rathaus.

   richtig ···············   **falsch** ················

....

Venen-Aktiv-Creme
Zur Anwendung bei Erwachsenen

Dieses Arzneimittel ist ohne Verschreibung erhältlich. Verwenden Sie jedoch die Creme immer vorschriftsmäßig.
Wenn sich Ihre Symphtome verschlimmern, müssen Sie auf jeden Fall einen Arzt aufsuchen.

Wofür wird die Creme angewendet?
Venen-Aktiv-Creme ist ein traditionell pflanzliches Arzneimittel und wird bei Erwachsenen zur Besserung des Befindens bei müden Beinen angewendet.

Was müssen Sie beachten?
Venen-Aktiv-Creme darf nicht angewendet werden, wenn Sie allergisch gegenüber Rosskastaniensamen sind.
Nicht auf offene Wunden oder verletzte Haut auftragen.

Schwangerschaft und Stillzeit
Die Anwendung von Venen-Aktiv-Creme wird nicht empfohlen.

Verkehrstüchtigkeit und Bedienen von Maschinen
Keine besonderen Vorsichtsmaßnahmen erforderlich.

....

1. Venen-Aktiv-Creme kann man auch für Kinder verwenden.

   richtig ....   **falsch** ....

2. Venen-Aktiv-Creme soll man nicht in der Schwangerschaft verwenden.
   richtig ....   **falsch** ....

3. Venen-Aktiv-Creme wird bei müden Beinen angewendet.
   richtig ....   **falsch** ....

....

Staubsauger Wirbelwind
Bitte beachten Sie diese Sicherheitsvorschriften:

1. *Das Gerät ist nur für den häuslichen Gebrauch bestimmt, nicht für industriellen oder kommerziellen Gebrauch.*

2. *Keine nassen Oberflächen reinigen oder nasse Objekte aufsaugen!*

3. *Keine großen Objekte aufsaugen, nur Staub und Schmutz!*

4. *Das Gerät ist nicht zum Reinigen von Menschen und Tieren bestimmt!*

5. *Schließen Sie keine Türen über dem Netzkabel.*

6. *Wenn das Gerät in einen anderen Raum transportiert wird, stets das Netzkabel ziehen und das Gerät am Haltegriff tragen.*

7. *Niemals das Gerät bewegen, indem es am Netzkabel gezogen wird.*

8. *Nie ohne Staubbeutel und Filter benutzen.*

9. *Wechseln Sie den Staubbeutel, wenn die Anzeige rot ist.*

....

1. Man darf mit dem Gerät keine nassen Fußböden reinigen.

   richtig ....   **falsch** ....

2. Man kann auch Haustiere mit dem Staubsauger reinigen.

   richtig ....   **falsch** ....

3. Man muss den Staubbeutel wechseln, wenn die Anzeige rot ist.

   richtig ....   **falsch** ....

Lösungen:

....

Leseverstehen 1

....

Abteilungen im Kaufhaus, Internetportale

S. 5 1A, 2B, 3B, 4A

S. 6 1A, 2B, 3B, 4A, 5A, 6B, 7A, 8A

S. 7 1.Matratze, Kopfkissen 2. Mixer, Waschmaschine

      3. Fußball, Tennisschläger 4. Sandalen, Stiefel

      5. Mountainbike, Damenfahrrad 6. Zelt, Campingtisch

      7. Lippenstift, Handcreme 8. Bleistift, Kugelschreiber

S. 8 9. Roman, Lexikon 10. Damenröcke, Damenjeans

      11. Anzüge, Krawatten 12. Kinderpullover, Kinderhosen

      13. Lätzchen, Babysafe 14. Fernseher, DVD

      15. Tastatur, Laptop

....

S. 9 **Ämter und Behörden**

      1B 2B 3A 4B 5B 6A

S. 10 7B 8A 9A 10B 11A 12B

S. 11 1F 2A 3E 4E 5B 6C 7G 8D 9E 10H

S. 12 2 eine Auskunft 3 die Staatsangehörigkeit

      4. benötigen 5 die Berechtigung

....

S. 13 **Kursangebote**

      1A 2B 3A 4B

S. 14 5A 6A 7A 8B

S. 15 9B 10B 11A

S. 16 1. Französisch für die Reise, Türkisch für Fortgeschrittene

      2. Büro-Organisation, Bewerbertraining

      3. Backen für Kindergeburtstage, Diätküche

      4. Nähen für Anfänger, Socken stricken

      5. Blumen malen, Russische Lieder singen

....

Leseverstehen 2

....

S. 17. **Themen**: 1. Sprachunterricht   2. Stellenanzeigen
                 3. Kleinanzeigen   4. Wohnungsanzeigen
S. 18 5. Ausbildungsplätze   6. Service
       7. Weiterbildung   8. Kleinanzeigen
       9. Service

....

S. 19 **Stellenanzeigen**
       1. Lehrerin   2. Automechaniker   3. Krankenpfleger
          4. Bedienung   5. Sekretärin   6. Erzieher   7. Bauarbeiter
          8. Bauer / Landwirt   9. Hausfrau
S. 20 2. Kinderbetreuung   3. Die Dienstleistung
       4. Teamarbeit   5. Sie wissen viel über …   6. arbeiten
       7. Teilzeitkraft
S. 21 1 eine Ausbildung   2. Ausbildungsplatz   3. qualifiziert
       4. an der Universität   5. Lehrbuch   6. die Prüfung
S. 22 1. A Krankenschwester   B vormittags
       2. A Bäcker   B Hausmeister, Verkäufer   C am Tag oder am
          Abend
       3. A im Haushalt   B vormittags
S. 23 4. A im Dönerladen gearbeitet   B Dönerladen, Imbiss, Restaurant
          C flexibel
       5. A Sekretärin   B Büro, Call Center, Kasse   C vormittags oder
          nachmittags
       6. A Nachhilfeunterricht   B ab 17 Uhr
S. 24 1 ja   2 nein   3 nein   4 ja
S. 25 1 A   2B
S. 26 1A   2B
S. 27 1B   2A
S. 28 1A   2B

....

S. 29 1B   2A
S. 30 3A   4B

....

S. 31   5A   6B

Wohnungsanzeigen, Kleinanzeigen
S. 32 /33   2. günstig   3. Handy
                     4. Gebrauchsanweisung   5 Koffer und Taschen
                     6 Wohnungswechsel   7 fast neu   8 defekt
                     9. Verhandlungsbasis   10 Fernseher   11 Sofa
S. 34   1B   2B
S. 35   3A   4B
S. 36   5A   6B

....

Leseverstehen 3

....

Meldungen, Mitteilungen

S. 37   **Themen:**   1 Elternbrief   2 Zeitungsmeldung
S. 38   3 Mitteilung für Mieter   4 Zeitungsmeldung

....

S. 39   **Elternbriefe**
        1 richtig   2C
S. 40   1 falsch   2A
S. 41   1 falsch   2A
S. 42   1 richtig   2B

....

S. 43   **Mitteilungen für Hausbewohner**
        1 falsch   2 B
S. 44   1 falsch   2 A

....

Zeitungsmeldungen
S. 45   1 richtig   2 B
S. 46   1 falsch   2 C
S. 47   1 richtig   2 B

S. 48 1 falsch   2 A
S. 49 1 richtig 2 A
S. 50 1 falsch   2 B
S. 51 1 richtig 2 C
S. 52 1 richtig 2 B
Leseverstehen 4

....

Infobroschüren

S. 53 1 falsch   2 richtig 3 richtig
S. 54 1 richtig 2 falsch   3 richtig
S. 55 1 falsch   2 richtig 3 richtig
S. 56 1 richtig 2 falsch   3 richtig

....

Lightning Source UK Ltd.
Milton Keynes UK
UKHW051154011219
354495UK00011B/212/P